「五つの敬語」第一巻

敬語(けいご)とは・美化語・丁寧語(ていねいご)

はじめに

小池　保

「ようこそ、『五つの敬語』の世界にお越しくださいました」。このように言われると、そんなに悪い気はしないのではありませんか？　人によっては少しうれしく感じるかもしれません。敬語は言葉による、広い意味の「おもてなし」です。

相手と自分とは、好みも考え方も違うのですから、人と人とがお互いを認め合い、お互いが尊重し合う社会をつくることが大切で、その意味で、言葉の上で相手をもてなす敬語の力が、より一層重要になってきていると言えます。

そこで提案です。この本は「声に出して使う本」なのだと考えてみましょう。特に例文では、ぜひ実際の「場面」と「相手」を想像しながら、小さな声を出してください。その繰り返しによって、実際の敬語「体験」を、本の上で積み重ねることができます。敬語は体験が何よりです。

さあ、敬語の五つの体験の世界に、声のツエに乗って飛び立ちましょう。

●小池　保（こいけ・たもつ）先生

元・NHKアナウンサー・解説委員
跡見学園女子大学文学部非常勤講師
元・尚美学園大学大学院教授

略　暦

昭和21年7月10日、東京生まれ。東京大学文学部卒業。

平成16年より、文化審議会国語分科会委員として敬語・漢字についての議論に携わる。

平成19年2月の文化審議会答申『敬語の指針』作成時にはワーキンググループ6名の一員。

主著・共著

「日本語よどこへ行く」（岩波書店）
「美しい日本語のすすめ」（造幣局印刷部）
「きんさん　ぎんさんに学ぶ　長寿かつ健康のすすめ」（三五館）
童話と詩のカセットブック「おはなし家族」（NHK日本語センター）
ビデオブック「実践はなしことば ～ 敬語・スピーチ・発声発音」（NHKエンタープライズ）

「五つの敬語」第一巻
敬語とは・美化語・丁寧語

美化語……15

本書で○×△などの記号で説明している部分がありますが、これは「正しい」「誤り」などを明確に指摘するものではなく、敬語の基本の使い方として適切なもの、そうではないものを示しています。

敬語は、相手に対する敬意を示す言葉で自己表現となりますので、完全な正解、不正解という判断はなじみません。

第一巻では敬語全体や、美化語、丁寧語を学んでいきます。

敬語とは、相手を尊重する気持ちを表す言葉づかいです

敬語を使っての表現は、お互いを尊重している気持ち（「相互尊重の精神」と呼ばれます）を大切にして、相手や場面に合わせて、言葉づかいを使い分けることです。たとえば、

あなた：「ようやく来た」
相　手：「よく来た」

これでも会話になっていますし、話の意味は通じます。この会話に敬語を使うと、

あなた：「ようやく伺えました」
相　手：「よくいらっしゃいました」

となります。この会話からは、あなたが訪ねた相手に敬意をもって接していることが伝えられます。また、相手も来てくれたあなたへの敬意を伝えることができています。

敬語の基本は、「丁寧語」、「尊敬語」、「謙譲語」の三種類です

「丁寧語」は、相手に対する敬意を表す言葉づかいです。「です、ます」のように丁寧な言い方や書き方をします。

「尊敬語」は、相手や、その話題になっている人を敬う気持ちを表す言葉づかいです。そこに「いる」ことを「いらっしゃる」などと言いかえて使います。

「謙譲語」は、自分や自分に近い仲間の動作や行動を謙遜して表す言葉づかいです。これによって、その動作や行動を受ける人への敬意を表します。「行く」を「伺う」などと言いかえて使います。

五つの敬語は、「丁寧語」、「美化語」、「尊敬語」、「謙譲語Ⅰ」、「謙譲語Ⅱ」

敬語をより上手に使えるように、「丁寧語」を「丁寧語」と「美化語」に分けました。また、「謙譲語」を「謙譲語Ⅰ」と「謙譲語Ⅱ（丁重語）」に分けました。「美化語」は、言葉をより美しく言い表します。「魚」を「お魚」などと言いかえます。

「謙譲語Ⅱ」は、第三巻で説明する「謙譲語Ⅰ」と分けた、自分や自分に近い仲間の動作や行動を特別な言葉を使って表し、相手への敬意を表す言葉づかいです。「行く」を「参ります」などと言いかえて使います。この本では「謙譲語Ⅱ」をわかりやすくするために「丁重語」と書いています。

これによって、敬語は「丁寧語」、「美化語」、「尊敬語」、「謙譲語（Ⅰ）」、「丁重語（謙譲語Ⅱ）」の五つに分かれます。

相手を「立てる」自分が「へりくだる」

敬語が説明されるときに、相手を「立てる」、自分が「へりくだる」という言葉がよく使われます。敬語は相手を尊重する言葉づかいなので、相手を「立てる」は相手を「上げること」、自分が「へりくだる」は「控えめに接する」、ということと理解しましょう。

「へりくだる」は控えめな態度のことを言います

「へりくだる」を漢字で示すと「謙（へりくだ）る」もしくは、「遜（へりくだ）る」となります。合わせると「謙遜（する）」という言葉になり、控えめな態度のことを言います。

この本では「立てる」を「上げる」、「へりくだる」を「下げる」で説明します

敬語での「立てる」は、日ごろ使う「箱を立てる」というような実際の行動がともなうものではないので、少し分かりにくいかもしれません。

また、「へりくだる」は日ごろ使う言葉ではないので、さらに分かりにくいでしょう。

この本では、相手を「立てる」ことを「上げる」とし、自分が「へりくだる」ことを「下げる」として説明していきます。

「常体語」（普通語）と「敬体語」（敬語）

敬語にしていない表現を「常体語」（普通語）と言います。「〜だ」、「〜である」の文章となり、「だ・である調」とも呼ばれます。

これに対して敬語を使った表現は「敬体語」（敬語）といいます。「〜です」、「〜ます」の文章となり、「です・ます調」と呼ばれます。

文章には、敬語が使われないものと、使われるものがあることを覚えておきましょう。

「常体語」：私が行く。

「敬体語」：私が行きます。

敬語は組み合わせて使うことがあります

敬語は組み合わせて使うことが多くあります。次の文は、「美化語」と「尊敬語」を組み合わせた例です。「先生が部屋にいる」を「尊敬語」だけを使うと「先生が部屋にいらっしゃる」となります。「部屋」を「美化語」にして使うと「先生がお部屋にいらっしゃる」となります。

この本のシリーズでは、第一巻で「美化語」と「丁寧語」、第二巻で「尊敬語」、第三巻で「謙譲語（謙譲語Ⅰ）」、第四巻で「丁重語（謙譲語Ⅱ）」、第五巻で「間違えやすい敬語」を実際に使う場面で説明していきます。

言葉は時代によって変化します「敬意低減の法則」

文法的には敬語は、いくつかの基準やルールがあります。とは言え、言葉は時代によって変わります。「敬意低減の法則」というものがあります。

もともとは敬語であった言葉が時代とともに敬意を表現する意味合いが低くなってくることを言います。それどころか、逆に敬意のない言葉に変わってしまったものもあります（P46）。

また敬語は、地域、年齢、性別でも異なります。敬語は、いつも、どこでも、誰にとっても変わらず一定であるとは限らないことを理解して、お互いを敬う「相互尊重の表現」として使っていきましょう。

ありがとうございました。
相互尊重
とんでもないことでございます。

美化語

私がびかごです。
びかごちゃんと呼ん
でね。どうすれば
美化語にできるのか、
ご説明しますね。

「美化語」とは物事を美しく表現した言葉

「美化語」とは、物事を美しくするための言葉となります。『五つの敬語』のなかで分かりやすいのが「美化語」です。

常体語(じょうたいご)に「お・ご」を付けると「美化語」になります

常体語「魚」→美化語「お魚」
常体語「空」→美化語「お空」
常体語「皿」→美化語「お皿」

常体語「集合」→美化語「ご集合」
常体語「友人」→美化語「ご友人」
常体語「旅行」→美化語「ご旅行」

和語に「お」を付けると「美化語」になります

和語（日本固有の言葉）に、接頭語の「お」を付けると、「美化語」になります。和語は、多くの場合、訓読みされる言葉です。「大和言葉」とも言われます。

接頭語とは
接頭語とは、語句の前に付ける言葉です。それだけでは使われません。

訓読みとは
訓読みとは、中国から伝わった言葉（漢語）を日本での大和言葉（和語）での読み方にしたものです。例えば「上」の訓読みには、「うえ」「うわ」「かみ」「あゲル」「のぼル」などがあります。

● 「常体語（じょうたいご）」→「美化語」

「水」→「お水」

「米」→「お米」

「祝い」→「お祝い」

「机（つくえ）」→「お机」

「風呂（ふろ）」→「お風呂」

「知らせ」→「お知らせ」

「かあさん」→「おかあさん」

漢語に「ご」を付けると「美化語」になります

漢語（中国から伝わった言葉）に、接頭語の「ご」を付けると、「美化語」になります。漢語は、中国から伝わった言葉などで、一般的に音読みされる言葉です。

音読みとは

音読みとは、中国から伝わったの言葉（漢語）を漢字の音に従って、読んだもの。漢字の音は一種類ではなく、時代や、地域によって異なります。呉音、漢音、唐音、宋音、慣用音などがあります。

例えば「明」は、漢音で「メイ」、唐音で「ミン」、呉音で「ミョウ（ミャウ）」、の音読みがあり、それぞれ「明解」、「明朝体」、「明日」という読み方に使われています。

●「常体語（じょうたいご）」→「美化語」

「入学」→「ご入学」
「見学」→「ご見学」
「近所」→「ご近所」
「参加」→「ご参加」
「出発」→「ご出発」

「ご入学」

「お」「ご」は、同じ漢字「御」ですが「み」「おん」「ぎょ」とも読みます

「美化語」を作る接頭語「お」「ご」は、漢字で示すと「御」という漢字になります。「お」は訓読み、「ご」は音読みです。
「御」は、ほかに「おん」「み」「ぎょ」とも読み、その場合は尊敬語になります。

同じ漢字でも
読み方が
たくさん
あるんですね。

御(お)、御(ご)以外の御(おん)、御(み)、は、和語に付ける接頭語のうち、読み方にはっきりとした規則はなく、語感(美しく聞こえるかどうか)で、「おん」と読みが変化します。「み」は、貴人や神仏、御(ぎょ)は、皇室や天皇に使います。

●美化語

御(お)……お話(おはなし)

御(お)……お名刺(おめいし)

御(ご)……ご飯(ごはん)

御(ご)……ご本(ごほん)など

●尊敬語(そんけいご)

御(ご)……ご家族(ごかぞく)など

御(おん)……御前(おんまえ)など

御(み)……御仏(みほとけ)など

御(ぎょ)……御名(ぎょめい)(天皇(てんのう)の名前)など

●カンちがい「美化語」「お」「ご」が付く言葉でも「尊敬語」や「謙譲語」になる場合が

「お」「ご」を付けた言葉でも単なる「美化語」ではなく、「尊敬語」や「謙譲語」になる場合があります。例えば「お手紙」は、先生から頂く場合は「尊敬語」となり、自分から先生にお出しする場合には「謙譲語」となります。同じように「ご説明」は、先生が自分に説明をする場合は「尊敬語」、自分が先生に説明する場合は「謙譲語」となります。

郵便はがき

おそれいりますが切手をおはりください。

103-0001

〈受取人〉

東京都中央区日本橋小伝馬町9−10

株式会社 理論社

読者カード係 行

お名前（フリガナ）

ご住所 〒　　　　　　TEL

e-mail

書籍はお近くの書店様にご注文ください。または、理論社営業局にお電話くださし

代表・営業局：tel 03-6264-8890　fax 03-6264-8892

http://www.rironsha.com

ご愛読ありがとうございます

読者カード

●ご意見、ご感想、イラスト等、ご自由にお書きください。

●お読みいただいた本のタイトル

●この本をどこでお知りになりましたか？

●この本をどこの書店でお買い求めになりましたか？

●この本をお買い求めになった理由を教えて下さい

●年齢　　　歳　　　　●性別　男・女

●ご職業　1. 学生（大・高・中・小・その他）　2. 会社員　3. 公務員　4. 教員
5. 会社経営　6. 自営業　7. 主婦　8. その他（　　　　）

●ご感想を広告等、書籍のＰＲに使わせていただいてもよろしいでしょうか？
（実名で可・匿名で可・不可）

ご協力ありがとうございました。今後の参考にさせていただきます。

記入いただいた個人情報は、お問い合わせへのご返事、新刊のご案内送付等以外の目的には使用いたしません。

先生からのお手紙（尊敬語）

先生へのお手紙（謙譲語）

先生からのご説明（尊敬語）

先生へのご説明（謙譲語）

「お」「ご」は、単なる美化語ではないこともあるんですね。

●カンちがい「美化語」自分側のことに「お」「ご」を付けてはいけません

「お」や「ご」を自分側のことに付けてはいけません。例としては、「私のお考え」「私のご旅行」など、自分側の動作や物事を上げてしまうことになります。

一方で「ご説明する」の場合、「説明する」のは「自分」ですから、『「お」、「ご」……する』を付け、「謙譲語」（第三巻P26）とすることができます。

●自分を上げている不適切な例
「私のご旅行」×
「私のお席」×
「私のお考えは」×

●相手に対する動作の例（謙譲語）
「私がご案内します」○
「私がお知らせします」○
「私がお電話します」○

●カンちがい「美化語」外国の言葉には、ふつうは「お」「ご」を付けません

外国の言葉、カタカナ語には「お」「ご」を付けないのが原則（げんそく）です。

カタカナ語には「お」「ご」を付けて美化語にしません。

カタカナ語の例外

もともとは外国語の言葉であっても、すでに日本語になじんでいる言葉には、「お」を付けることがあります。「おビール」「おケーキ」などです。しかし、間違（まちが）いとも言えないけれど、奇妙（きみょう）な感じを受ける言葉です。

●「お」＋外国の言葉：カタカナ語例

おトイレ○
おソース○
おズボン○
おビール△
おケーキ△
おメール×
おテレビ×

●カンちがい「美化語」幼児語は、敬語ではありません

「美化語」と間違えやすい言葉に幼児語があります。「お」がついていると「美化語」とカンちがいしそうですが、敬語ではありません。

「おっぱい」「おてて」「おめめ」「おねむ」「おしっこ」などは、幼児語であって、敬語ではありません。

幼児語を使っていること、まだありませんか。

●幼児語の例

おっぱい
おてて
おめめ
おべべ
おぶう
おんま
おねむ
おしっこ
おんり

幼児語（ようじご）は美化語ではないからそろそろ卒業しましょう。

おねむ…

●カンちがい「美化語」女房言葉は、敬語ではありません

女房言葉も幼児語と同じように敬語ではありません。女房言葉は、隠語（仲間内だけで使う言葉）で、室町時代頃から宮中（天皇の住まいなど）の女性たちが使い始めたと伝えられています。江戸時代に武士や町民に広まり、現代でも使われています。

今でもたくさん使われている女房言葉は、美化語ではありません。

室町時代頃から現代へ

女房言葉は、言葉のはじめに「お」を付けたり、言葉の後半を略して終わりに「文字」を付けたりするのが特徴です。

●女房言葉の例

おかか　おかず　おから　おじや

おみおつけ　おでん　おにぎり

おむすび　おはぎ　おひや

おめもじ（お目にかかる）＝「おめ」＋文字

しゃもじ（杓子）＝「杓子（しゃくし）」の「しゃ」＋文字

すもじ（寿司）＝「寿司（すし）」の「す」＋文字

そもじ（そなた）＝「そなた」の「そ」＋文字

ゆもじ（浴衣）＝「湯帷子（ゆかたびら）」の「ゆ」＋文字

言いかえによる「美化語」

言葉そのものを別の言葉に言いかえることによって、「美化語」とすることができます。その言葉を直接言うことを控えめにする場合などに使われます。

「トイレ」のこと、
いつもなんと呼んで
美化語にしていますか。

「便所」「厠」の言いかえ

常体語の「便所」、「厠」は、別称（別の言い方）、美称（美しく言いかえた言葉）で言いかえをすることが多くあります。

「お手洗い」、「化粧室」、「おトイレ」、「雪隠」、「御不浄」、「手水場」、「WC」、「パウダールーム」などの言葉があります。

丁寧語（ていねいご）

ぼくが、ていねいごです。ていねいごくんと呼(よ)んで下さい。どうすれば丁寧語(ていねいご)になるか説明します。

「だ・である調」は、常体文（普通文）「です・ます調」は、敬体文（敬語）

文章を書く時には「だ・である調」か、「です・ます調」かのどちらかに統一するのが基本ですが、「だ」「である」という言葉を文末に使った文章は、常体文（普通文）と呼ばれます。「です」「ます」を文末に使った文章は、敬体文と呼ばれます
「私は、新入生である」「私は、新入生だ」を、「私は、新入生です」と「です・ます調」にすることで、相手に対する「丁寧語」の敬語となります。これは会話のときでも同様です。「です」「ます」は、分かりやすい敬語です。

●常体文（普通文）

「私は、小学生である」

「私は、小学生だ」

●敬体文（敬語）

「私は、小学生です」

私は、小学生である。

私は、小学生です。

さらに丁寧(ていねい)な言葉づかいの「丁寧語」「(で)ございます」

「です」「ます」より、さらに丁寧度を高くして自分側を「下げる」が入っている敬語(けいご)が、「(で)ございます」です。自分側の言葉に付け、相手側には付けないのが基本です。

「当旅館は、創業(そうぎょう)一三五年でございます」

「サザエのつぼ焼きでございます」

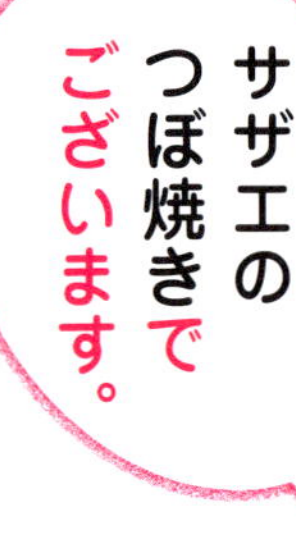

「(で)ございます」

この言葉づかいは自分側を下げる敬語である丁重語(謙譲語(けんじょうご)Ⅱ)に近い使われ方となります。

形容詞に「ございます」を付ける場合があります。その場合、形容詞は必ず「い」で終わりますから、その「い」の前の母音によって言葉が変化します。

形容詞末尾前の母音a「□aい」の場合例
「高い＝たかい（たkaい）↓たこう」
「高うございます」

形容詞末尾前の母音i「□iい」の場合例
「美味しい＝おいしい（おいshiい）↓おいしゅう」
「美味しゅうございます」

形容詞末尾前の母音u「□uい」の場合例
「軽い＝かるい（かruい）↓かるう」
「軽うございます」

形容詞末尾前母音o「□oい」の場合例
「重い＝おもい（おmoい）↓おもう」
「重うございます」

＊（注）「□eい」という形の形容詞はありません。

●カンちがい「丁寧語(ていねいご)」「とんでもございません」は「とんでもない」間違(まちが)い？

「とんでもない」は、「みっともない」や「だらしない」と近い意味の形容詞(けいようし)です。相手からほめられた時などに、軽く打ち消すために、「とんでもございません」と使われることがあります。

現在では、こうした状況で使うことは問題がないとする考えもありますが、この表現(ひょうげん)は、言葉の構成(こうせい)として間違(まちが)いがあるとも言えます。左のページで説明します。

「とんでもない」の規則(きそく)変化

とんでもない（形容詞の末尾母音a□いP39）の規則変化↓とんでものう＋ございます↓とんでものうございます○

とんでもない↑これでひとつの言葉（形容詞）

とんでも＋ない

形容詞を分解してしまうことが間違いです。

ございません

「ない」だけを丁寧語にしても敬語にはなりません。

【正しく使うには】

とんでもない（形容詞）＋こと（形式名詞）

＝とんでもないこと（名詞にする）↓

とんでもないこと＋で（接続詞）

＋ございます（補助動詞「ある」の丁寧語）↓

とんでもないことでございます◯

●カンちがい敬語　どこが変？
宅配便の受け取り確認で「ハンコを押していただいてもよろしいですか」

【おかしなポイント】

受け取りの確認では、ハンコを押してもらう必要があります。「よろしいですか」と許可を求めている点が変です（第四巻P36）。「ハンコを押してくれ」を「丁寧語」で「ハンコを押して下さい」あるいは、「捺印（ハンコを押すこと）をお願いします」や「ハンコをいただけますか」が適切な表現です。

「取ってもらっていいですか」など、許可を求める言い回しがよく使われています。依頼の表現を、許可をもらう形にして、敬語表現としたいと考えられているようです。間違っているとは断定できませんが、かえって意味が分かりにくくなるので、使わないほうがよいでしょう。

「ハンコを押して下さい」◯

「捺印（ハンコを押すこと）をお願いします」◯

「ハンコをいただけますか」◯

ハンコ押していただいてもよろしいですか。

●カンちがい敬語（けいご）
マニュアル敬語・アルバイト敬語

コンビニエンスストアやファミリーレストランなどの接客業（せっきゃくぎょう）で、しばしば、不思議な言葉を耳にします。いわゆるマニュアル敬語（けいご）などと呼（よ）ばれるもので、奇妙（きみょう）な言い回しがあります。

文法、敬語としては誤（あやま）りが多いのですが、お客様とのコミュニケーションを円滑（えんかつ）にするための努力と考えれば、そこは、理解（りかい）してあげてもいいでしょう。しかし、中には、敬語と言うよりも、日本語として成り立っていない場合も見受けられます。

「お弁当(べんとう)のほう、温めますか」×

「のほう」を足して接客(せっきゃく)の気持ちを表したのでしょうが、そもそも不要です。

「お弁当は、温めますか」◯

「ご注文のほうは以上でよろしかったでしょうか」×

「のほう」がいりません。「よろしかったでしょうか」も、言葉を足すことでサービスしようとしているのかもしれませんが、おかしなことに過去形(かこけい)になっています。

「ご注文は、以上でよろしいですか」◯

「お前」「貴様」は、もともとは敬語　「敬意低減の法則」で乱暴な言葉に

「お前」は、もともとは「御前（おまえ、おんまえ、みまえ、ごぜん）」という意味で身分の高い人を間接的に表す敬意表現でした。しかし、現代では、他の人を「お前」と呼ぶことは、目下の者を指す表現となりました。

同じように「貴様」も、もともとは、目上の相手に対して、尊敬の気持ちを含めて使った言葉で「あなたさま」という意味です。しかし、「貴様」も現代では、仲間や目下に対する言葉として変化しました。あなたが「お前」や「貴様」と呼ばれても、尊敬されているとは感じないはずです。

敬語は、地域、年齢、性別などで異なります

友人や年下の男性を「お前」と呼ぶ習慣のある地方があります。他の地域で使ったらケンカになるかもしれません。しかし、その地方ではあたりまえの言葉づかいなのです。

一方、「おソース」「おズボン」「お母様」を女性が使っても気になりませんが、男性が使うとなんとなくおかしいと感ずる人もいるでしょう。敬語は、いつの時代も、またどこでもずっと変わらないわけではなく、性別や場面、年齢でさまざまに変化します。基本となっている相互尊重の表現（P7）として活用するために、どのような言葉を選ぶかが大切なことです。

「五つの敬語」第一巻
敬語とは・美化語・丁寧語

参考資料
『敬語の指針』文部科学省文化審議会答申　平成 19 年 2 月 2 日
『放送で使われる敬語と視聴者の意識』（NHK 放送文化研究所）
『敬語速効マスター』鈴木昭夫（日本実業出版社）
『敬語の使い方』ミニマル＋ BLOCKBUSTER　監修：磯部らん（彩図社）
『カンちがい敬語の辞典』西谷裕子（東京堂出版）
『小学生のまんが敬語辞典』山本真吾監修（学研教育出版）
『マンガでおぼえる敬語』齋藤孝（岩崎書店）
『笑う敬語術』関根健一（勁草書房）
『大辞林（第三版）』（三省堂）

2016 年 12 月初版
2016 年 12 月第 1 刷発行

監　修　小池　保
制　作　EDIX
イラスト　熊アート、田中美華、細田あすか

発行者　齋藤　廣達
編　集　吉田　明彦
発行所　株式会社 理論社
〒103-0001　東京都中央区日本橋小伝馬町 9-10
電話　営業 03-6264-8890　編集 03-6264-8891
URL http://www.rironsha.com
印刷・製本　図書印刷株式会社

ISBN978-4-652-20181-7 NDC815 B5判　27cm 47p